A a	B b	C c	CH ch	D d	DD dd
E e	F f	FF ff	G g	NG ng	H h
I i	J j	L l	LL ll	M m	N n
O o	P p	PH ph	R r	RH rh	S s
T t	TH th	U u	W w	Y y	

a A

 **a**fal

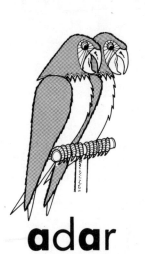 **a**d**a**r

 ___syn

 ___rth

 m**a**t

 t _^_n

 c___th

 eir**a**

 b**a**r___

 brog___

mat
cath
tân

bag
bara

eira
arth

3

b B

 **b**rân

bat

__ag

__ys

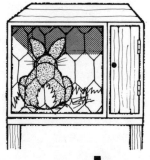
cw**b**

cai__

Bo__

ba**b**i

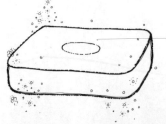
se__on

te__ot

bag
bys
bat

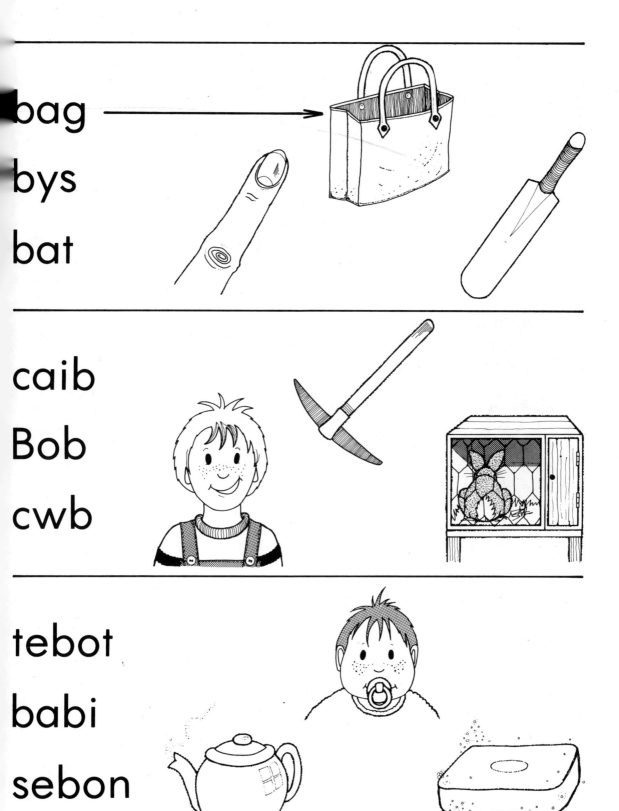

caib
Bob
cwb

tebot
babi
sebon

5

c C

ci

carw

__ath

__effyl

cacen

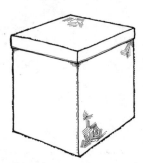

bo__s

mwn__i

cloc

ti__ to__

to__

Lliwiwch

y carw yn goch ☐

y gath yn ddu ☐

y ceffyl yn frown ☐

y bocs yn goch ☐

y mwnci yn oren ☐

y gacen yn felyn ☐

ch CH

6

chwe**ch**   __wip   __warae

mo**ch**yn   mer__ed   be__gyn

mo**ch**   mer__   sa__

Ysgrifennwch y lythyren yn y bwlch

mer__ed

__we__

be__gyn

__wip

mo__yn

sa__

__warae

mer__

mo__

d D

da**d**i

dafa**d**

__wrgi

__raenog

nei**d**r

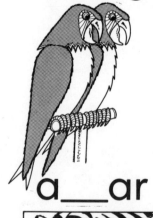

a__ar

llygo__en

llewo**d**

teigro__

catho__

dd Dd

y **dd**eilen   y __afad   y __oli

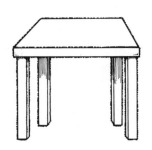

nodwy**dd**   bwr__   allwe__

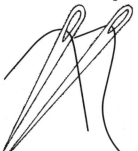
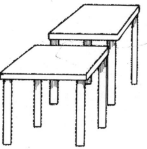

nodwy_au   byr_au   allwe__i

11

e E

eliffant

__strys

__bol

__ryr

4

p**e**dwar

t**e**

6

chw__ch

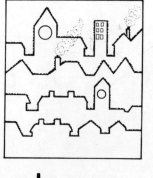

tr__

10

d__g

ca__

Ysgrifennwch y lythyren yn y bwlch

chw___ch   tr___

___ryr   p___dwar

t___   ___bol

___strys   d___g

ca___

f   F

 y **f**elin wynt

 y **f**uwch  y __erch  y __aneg

 bron**f**raith  da__ad  a__al

 Ha**f**  Hydre__  Gaea__

ff   Ff

Rhowch y lythyren yn y bylchau

ffarm

___enest

___on

rha___

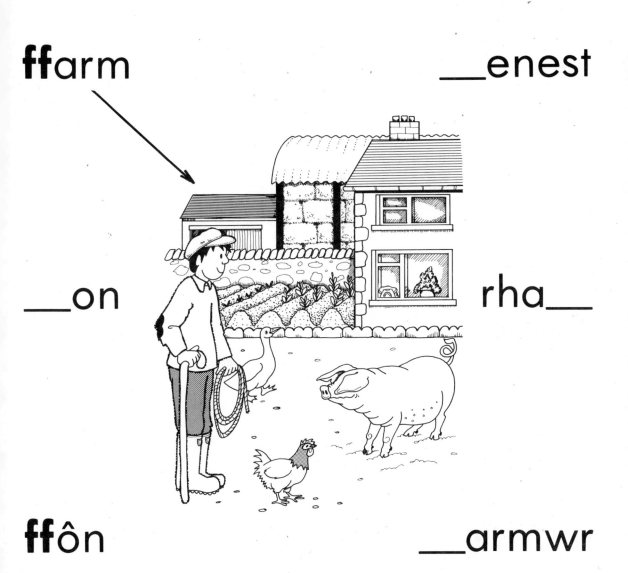

ffôn

___armwr

g G

y **g**wcw

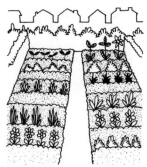

gardd

__afr

__ŵydd

ce**g**in

te__ell

siw__r

mane**g**

ba__

jw__

tegell

jwg

siwgr

gardd

gafr

gŵydd

ng Ng  ba**ng** ba**ng**

 fy    fy    fy

ngwallt   __wefus   __wddf

ca**ng**en   dri__o   ho__ian

llo**ng**   di__ do__

h H

hi **h**o **h**i **h**o

hadau

__osan

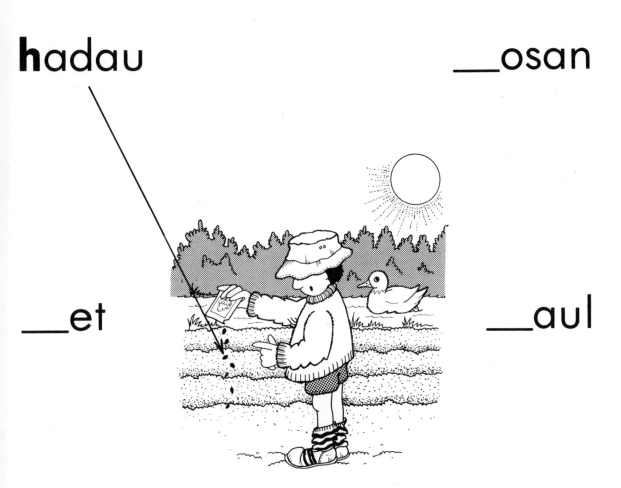

__et

__aul

__uw

__wyaden

i l

iglw

Idwal

iard

__nc

Mair

pens__l

b__n

Mali

Sal__

Mar__

Mari

Idwal   pensil

bin   Mair

inc   Mali

Sali

j J

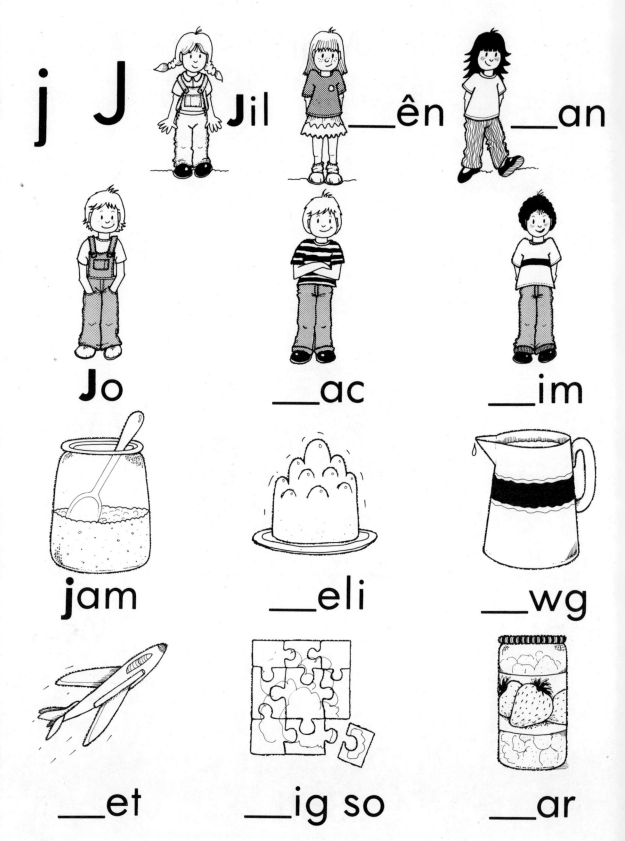

Jil ___ên __an

Jo __ac __im

jam __eli __wg

__et __ig so __ar

Parti Penblwydd Jo

Jim   jam   Jo

jwg   jet

Jil   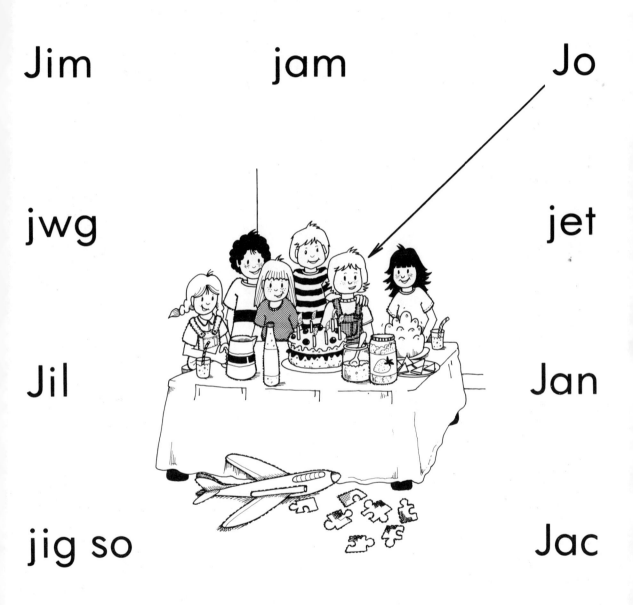   Jan

jig so   Jac

jeli   Jên   jar

l L

lawnt

__eisa

__ori

__o__ipop

__ôn

__amp

ll LL

Llŷr

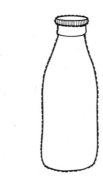

__aeth

__o

Ma**ll**t

bria__en

ty__uan

madfa**ll**

pw__

ysga__

m M  **m**och

mat

__ôr

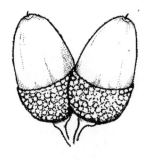
__es

mam

ffar__

Tw__

ca**m**el

cw__wl

si__dde

Lliwiwch

y mat yn goch ☐

y môr yn las ☐

y mes yn wyrdd ☐

y cwmwl yn ddu ☐

y camel yn frown ☐

y simdde yn felyn ☐

n N

nyth

Nadolig

__os

__yrs

Sa**n**ta

Pa__da

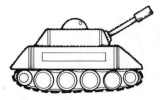

ta__c

Be**n**

coede__

fa__

nyrs

coeden

Panda

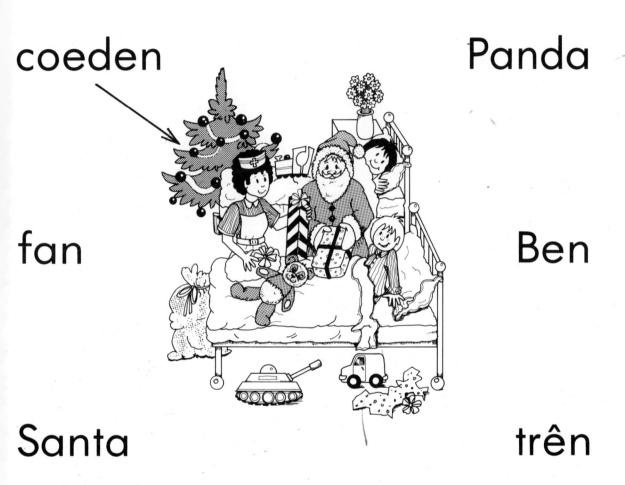

fan

Ben

Santa

trên

tanc

o O

o-o-o-o

ogo**f**

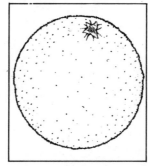

__ren

__en

mô**r**

ll__ng

pysg__d

Per**o**

ll__

t__

30

llo

oen

môr

ogof

Pero

pysgod

llong

p P

pi-**p**o

parc

__wll __adlo

__lant

hi**p**o

llew__art

ha__us

sio**p**

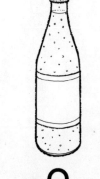

__o__

loli__o__

lolipop   llewpart

plant   siop

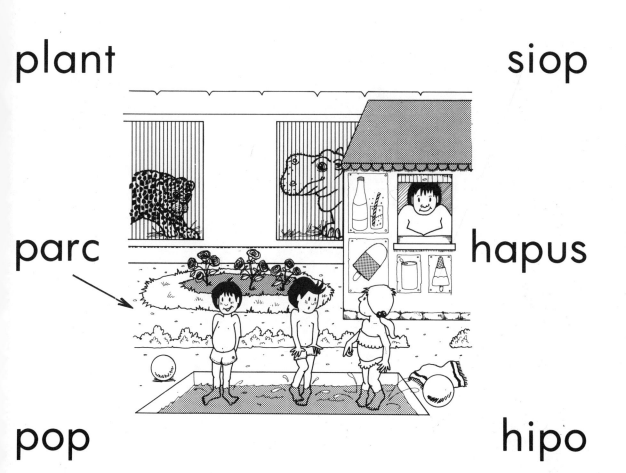

parc   hapus

pop   hipo

pwll padlo

ph Ph

ei

phaent

ei

__êl

ei

__ensil

ei

phen

ei

__wrs

ei

__lât

r R

r-r-r-r

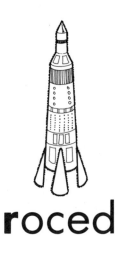

roced

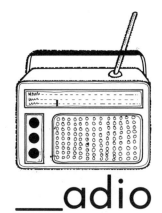

__adio

__eco__d

t**r**ên

t__ol

lo__i

tance**r**

ca__

beic
modu__

rh Rh

rhych

__osyn

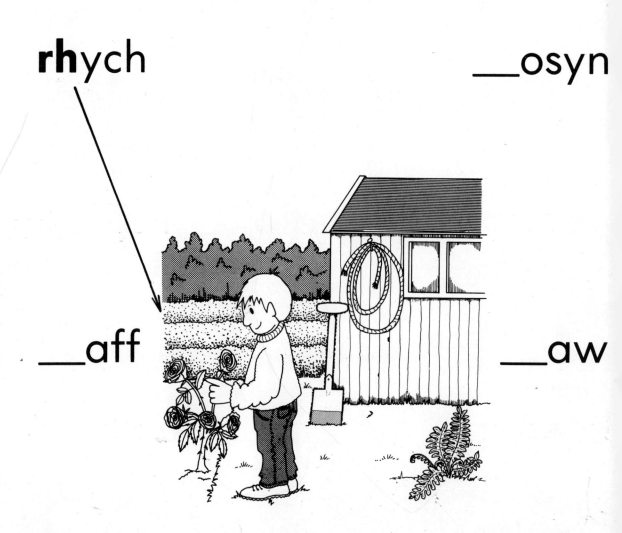

__aff

__aw

__edyn

__ys

36

s S

Seren

sach

__w

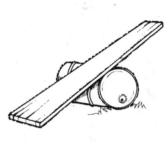

__i__o

ba**s**ged

y__gol

pen__il

lindy**s**

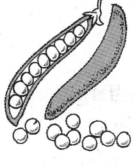

py__

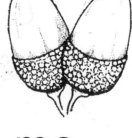

me__

t T

 ta-ta, ta-ta

tŷ

___o

___ân

Bet

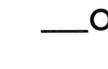
ma___

plâ___

Gu___o

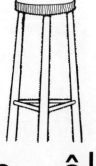
s___ôl

ta___ws

to
tân
tŷ
plât
Bet
tatws
Guto
stôl
mat

39

th Th

ei **th**ŷ ei __ân ei __roli

ei __eledu ei cha__ ei __eliffon

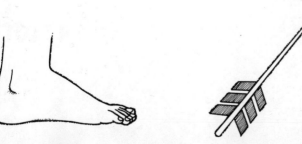

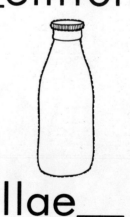

ei **th**roed sae__ llae__

u U

crud

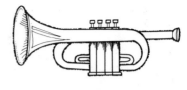

__tgorn

clust

gyrr__

can__

cysg__

adeilad__

help__

dysg__

pal__

carlam__

w W

wal

^y

^yn

gla**w**

rha__

lla__

g**w**i**w**er

cr__ban c__ningen

glaw

cwningen

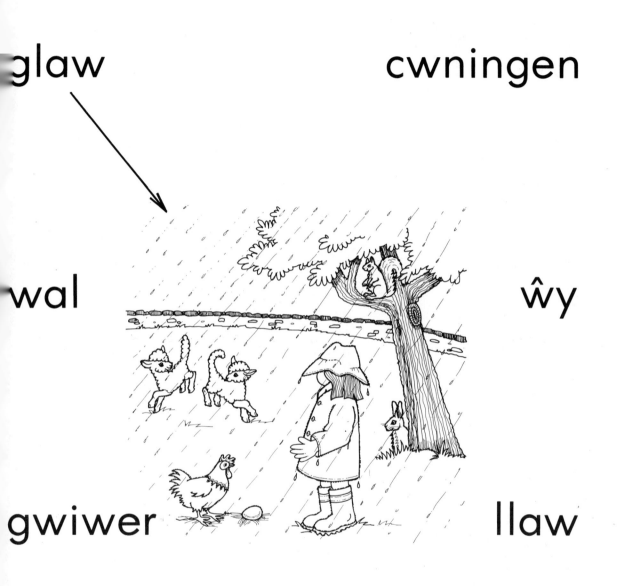

wal

ŵy

gwiwer

llaw

ŵyn

y Y

ŷd

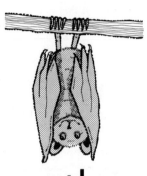

__stlum

__sgol

as**y**n

m__n

c__w

t**ŷ**

gwel__

ŵ__